Guérir sa blessure

Léon Robichaud

Guérir sa blessure

3e édition

Éditions Anne Sigier
1991

Édition :   Éditions Anne Sigier
                   2299 boul. du Versant-Nord
                   Sainte-Foy, Qué.
                   G1N 4G2

Photo :   François Rivard

Composition :   Infomulti enr.

Dépôt légal :   2e trimestre 1989
                   Bibliothèque nationale du Canada
                   Bibliothèque nationale du Québec

ISBN :   2-89 129-114-X

Présentation

Le deuil, dans le sens élargi du mot et tel que décrit par Léon Robichaud, a touché ou touchera presque chacun d'entre nous. En effet, rares sont ceux qui n'auront pas éprouvé à un moment ou l'autre de leur vie, ce sentiment de désarroi ou de désespoir, suite au décès d'un être qui nous était cher ou encore, suite à une séparation, un divorce, une perte d'emploi ou de santé.

Après les expressions de sympathie de nos parents, amis, médecins et autres, une sensation de vide absolu peut nous envahir. Avec son approche spirituelle et scientifique démontrée dans son livre, Léon Robichaud vient justement combler ce vide. De par son travail d'aumônier à un grand centre hospitalier et de par son expérience de prêtre, il est bien qualifié pour aborder ce sujet.

Mais il y a plus que cela. Ceux qui l'ont connu et vu œuvrer de près n'auront pas pu s'empêcher de remarquer, en lui, ce don de sentir, de comprendre, de sympathiser et d'aider son entourage quand le besoin survient.

Voilà pourquoi, en lisant ce livre, on sent un « bras-ami » qui nous prend par l'épaule pour nous guider à travers les étapes difficiles d'un deuil et nous sortir de notre solitude.

Pour cela, nous lui sommes très reconnaissants.

C. N. Gabriel, médecin
Spécialiste en médecine interne

POUR LIRE

Introduction

Un livre peut changer votre vie

En lisant, nous décidons souvent :
- de mémoriser certains passages
- de changer quelque chose dans notre vie
- et d'aider une autre personne.

Cependant, quelques semaines plus tard, nous avons complètement oublié nos bonnes intentions.

Voici quelques suggestions pour transformer vos intentions en agir pratique.

- Procurez-vous des petites cartes.
  Écrivez les phrases ou les idées principales que vous avez l'intention de mémoriser.
  Apportez vos cartes avec vous où que vous alliez. Lisez-les en attendant l'autobus, le thérapeute, le moment de dormir, etc...

- Soulignez certains passages.
  Relisez les phrases soulignées.

Il y a un vieux dicton qui dit :

> – « Écoutez quelque chose...et vous l'oublierez.
> – Voyez quelque chose...et vous vous en rappellerez.
> – Faites quelque chose...et vous le comprendrez. »

C'est pourquoi il est important de relire 90 fois ce que vous voulez assimiler. Chaque fois que vous le pourrez, mettez aussi en pratique ce que vous voulez retenir.

AVANT DE MARCHER

Préambule

Nous passons la plus grande partie de notre vie à travailler et à acquérir des choses qui donnent un sens à notre existence.

Le travail, la santé, les amis, un conjoint, des enfants, une maison sont autant d'êtres et de choses qui enrichissent notre passage sur cette terre. Soudain la maladie, la séparation ou un événement tragique nous enlève un être qui nous est important.

Voilà qu'un sentiment de vide, de désarroi, de solitude ou de dépression nous envahit.

La perte d'un être cher nous fait peut-être vivre l'expérience d'un gros chagrin. La vie nous semble-t-elle indifférente, voire même insupportable ?

Ce livre que vous tenez entre vos mains pourrait changer votre vie. Lisez-le attentivement. Il est le fruit d'un vécu. Au cours de mes voyages, prédications et conférences, de mon ministère auprès des personnes en difficulté, au cours de mon travail auprès des mourants, j'ai rencontré encore beaucoup de gens incapables de se guérir de leurs blessures intérieures. Parmi ces personnes blessées, plusieurs sont souvent séparées, divorcées, veuves ou orphelines. Seules, elles sont incapables d'aimer ou d'être aimées. D'autres souffrent de désespoir, de culpabilité, de peur, de dépression, d'alcoolisme ou de grands désordres sexuels. D'une façon ou d'une autre, nous sommes tous plus ou moins blessés. C'est ma plus grande conviction. Par conséquent, nous avons tous besoin d'une certaine guérison. Pour ce faire, nous avons aussi besoin de savoir comment sortir de notre chagrin et trouver ainsi le chemin de la paix intérieure. Je demande donc à Dieu de vous aider à trouver ce chemin de la guérison du cœur, de l'âme et de l'esprit.

SE SITUER

Nommer la blessure

Qu'est-ce que le deuil ? Le deuil est d'abord une réaction naturelle et nécessaire à la suite d'une perte ou d'un changement significatif dans la vie d'une personne. En d'autres mots, c'est une attitude de protection que se donne un individu face à une ou à des situations telles que :

- décès d'un être cher
- peine d'amour
- divorce ou séparation
- maladie ou perte de son honneur
- changement de ville ou de pays
- perte de son travail ou de sa santé
- abandon du foyer par les enfants
- rêve ou objectif de perfection non réalisé.

Mais avant tout, émotivement, le deuil est une grande souffrance intérieure, une réaction douloureuse naturelle et nécessaire suite à une perte importante ou à un changement significatif dans la vie de quelqu'un.

Importance de comprendre

Pourquoi est-il important de comprendre la structure du deuil ?

C'est une expérience que chaque individu fait à un moment donné de sa vie. Il atteint chacun de nous. Personne n'en est exclu. Comprendre le deuil aide à faire face d'une façon plus positive et enrichissante aux émotions qui s'y rattachent ou en découlent tels : l'ennui, la peur, l'angoisse, la dépression et le désespoir.

Vivre heureux

Peut-on vraiment exister ou revivre heureux après une perte signifiante qui a brisé le cœur de notre vie ?

Pour s'aider soi-même, il faut prendre quelques décisions.

- D'abord, parlez-en à des personnes discrètes. Il est important d'exprimer tout haut ses sentiments.
  Les garder à l'intérieur peut créer d'autres problèmes.

- Acceptez l'aide des amis qui vous l'offrent. Compréhension et support peuvent soulager dans les moments difficiles.

- N'hésitez pas à recourir aux professionnels de la santé psychique, morale et spirituelle, tels un psychologue, un prêtre...
  Pour certains, la communauté de foi ou les groupes de soutien psychologique peuvent être aussi d'un très grand réconfort.

- Enfin, ne négligez pas d'aller consulter un médecin du corps, s'il y a lieu.

Croire à la guérison

Est-il permis de croire à sa guérison du cœur ?

Il ne faut jamais cesser d'y croire. C'est un impératif. Mais pour y arriver sûrement soyez bons pour votre corps. Celui-ci est le précieux contenant de tout le reste. Écoutez alors ses S.O.S. Soyez attentifs à vos petits problèmes de santé tels : maux de tête, perte de poids, nausées, tremblements, perte d'énergie et de sommeil. Ces petits maux ne sont pas un drame mais des signes révélateurs de stress. Prenez alors beaucoup de repos.

Gardez-vous en forme par une bonne alimentation et des exercices physiques non violents.

Évitez les tranquillisants, l'alcool ou toute dépendance en apparence inoffensive.

Surveillez votre apparence physique. Quelques séances de massothérapie peuvent aussi être un traitement valable. Si ces moyens s'avèrent inutiles, voyez votre médecin et si nécessaire un bon thérapeute.

N'oubliez pas...un esprit sain et saint dans un corps sain.

J'ose croire que la lecture attentive de ce livre vous donnera la clé d'une vie nouvelle.

QUI SOUFFRE ?

La liste des blessés est longue car tous les humains naviguent dans le même bateau de la souffrance universelle.

- Parmi les premiers, figurent les noms de ceux qui souffrent dans leur corps d'une grave maladie : cancer, diabète, arthrite, phobies, dépressions, sida, etc...

- Les douleurs physiques affectent souvent moralement et vice-versa. Ainsi en est-il des enfants battus ou abusés, des parents ridiculisés, des conjoints battus ou délaissés, des vieillards isolés parce qu'abandonnés par leurs enfants, des alcooliques, des homosexuels, des handicapés de toutes sortes tels les malentendants, les aveugles, etc...

- À ceux-ci s'ajoutent les nombreux pauvres matériellement : les victimes de la faim, du froid, les sans-travail, etc...bref, tous les pauvres matériellement. Même ceux qui semblent riches et rieurs portent au fond d'eux-mêmes certaines blessures. Certains multiplient les rencontres sociales, les repas somptueux, l'alcool, les biens matériels, fruits d'un travail excessif. Tout cela n'est souvent que des façons enjolivées, des compensations pour couvrir les plaies.

Donc, qui que nous soyons, d'une manière ou d'une autre, nous avons tous notre croix à porter. Pour certains, celle-ci est plus lourde mais chacun de nous doit apprendre comment porter la sienne.

❖   ❖   ❖

PRENDRE LE POULS

Ai-je un cœur tendre ou un cœur de pierre ? Les gens ne sont rarement blessés qu'une seule fois dans la vie. Cependant, certains le sont plus souvent que d'autres. À cause des peines accumulées, certains cœurs sont doublement chagrinés. Ainsi en est-il de celui qui n'a pas de carapace pour se protéger. Les cœurs durs, fermés comme des huîtres, confondent souvent tendresse et faiblesse.

Les cœurs ouverts et confiants sont habituellement plus faciles à être blessés. Malheureusement, le monde est plein d'hommes et de femmes incapables d'accueillir les cœurs tendres.

Ces cœurs fermés et durs ne font confiance à personne, donnent très peu, demandent des preuves à l'amour, calculent continuellement ce qu'ils donnent et reçoivent, manipulent, exploitent et sont rarement blessés. Seuls des cœurs de chair sont blessés. Jamais des cœurs de pierre. Ces derniers vont dans la vie brisant les cœurs tendres et fragiles.

Comme ils sont insensibles, ils ne connaissent ni la joie, ni la peine, ni la tendresse et nient l'amour. Le sage biblique dirait d'eux : « Ils ont des yeux et ne voient pas. Des oreilles et n'entendent pas. »

DISCERNER LES AMIS

Leur aide

Les amis(es) qui ne comprennent pas la profondeur de vos chagrins offriront des solutions faciles et inefficaces. Ils seront souvent impatients et irrités. Souvent très attentifs au début de votre deuil, ils vous soupçonneront quelques jours plus tard de faire de l'apitoiement sur vous-même.

Ils vous rappelleront que le monde est rempli de gens ayant de plus gros problèmes que les vôtres.

Certains diront : « Si vous aviez une plus grande foi, tout rentrerait dans l'ordre ! » Tout cela semble très bien à première vue, mais c'est là l'attitude de gens ayant tendance à faire la morale parce qu'ils n'ont jamais connu la souffrance du cœur.

Dans leur vie de chaque jour, ils sont comme les gardiens de Job (13, 4).

Ils semblent connaître toutes les réponses mais ne peuvent rien faire pour libérer les affligés de leurs peines. Ces amis(es) sont bien intentionnés mais s'ils vivaient, ne serait-ce qu'une heure de votre agonie, leur

langage serait transformé. Quand les amis(es) sont là
à vous faire rire, à vous désennuyer, il y a un soulage-
ment physique et temporaire. Mais la nuit, la peine est
toujours pire. Quand le soleil se couche, la solitude
augmente. Que dire de la solitude en fin de semaine ?
Le chagrin vous submerge ...

Personne autre que Dieu

Quand vous êtes blessés profondément, personne en ce monde ne peut fermer la porte de vos peurs
et angoisses. Même le meilleur de vos amis ne peut pas
réellement comprendre l'acuité de votre souffrance in-
time. Seul Dieu peut vous sortir de votre dépression ou
culpabilité. Seule une force divine peut vous sortir de
votre chagrin. C'est Lui qui doit intervenir comme un
père aimant, chassant les nuages qui assombrissent
votre vie.

À PLUS TARD

tous le vieux cliché : « *Le*
:te phrase est consolante à
eul, le temps ne guérit rien.
Dieu seul guérit. Le temps
;sure pour une certaine du-
votre agonie demeure. Le
louleur plus profondément
ant croire pour un moment

ement anodin vient agir
urgir l'ancienne douleur à
la surface. Même si le temps ne guérit pas, Dieu peut
guérir dans le temps. Le chrétien, lui, croit que Dieu
peut guérir le cœur blessé, qu'Il peut redonner vie à un
mariage, et qu'Il peut libérer l'endeuillé de son chagrin.

SE CULPABILISER

Il est difficile de guérir un cœur meurtri. Une grande partie de la peine du cœur brisé provient de la pensée que l'offenseur, le briseur de cœur, va s'en tirer sans trop de problèmes.

« *Je suis l'offensé et je dois payer le prix* » dira le cœur brisé. C'est une peu la situation apparente de ceux ou celles qui ont des croix à porter. C'est comme si on crucifiait la mauvaise personne. Mais les briseurs de cœurs finissent toujours par payer un prix élevé pour leurs actions. On récolte toujours ce que l'on sème. En d'autres mots, nous nous donnons ce que nous donnons. C'est la loi du retour.

Est-ce qu'il y a une guérison pour le cœur brisé, y a-t-il un baume ?

Est-ce que les pièces dispersées peuvent être replacées ensemble ? Est-ce que la personne qui est atteinte d'une si grande souffrance peut ressusciter des cendres de sa dépression et retrouver à nouveau un sens à la vie ? Oui ! Sinon Dieu lui-même serait menteur. Voici quelques pensées pour vous aider à voir clair au beau milieu de votre chagrin.

Éliminer les « pourquoi moi ? »

Ça n'arrive pas rien qu'à vous. Votre situation n'est pas unique. Ce qui vous arrive est le sort commun de notre espèce humaine. C'est la condition de la nature humaine. Que vous ayez tort ou raison ne changera rien à la situation. À ce moment-ci, vous êtes ce que vous êtes. Blessé. Ce qui est important, c'est que vous soyez désireux de vous tourner vers Dieu avec foi, de le supplier de vous redonner la paix intérieure.

Voici ce que dit la Bible :

> « Très chers, ne jugez pas étrange l'incendie qui sévit au milieu de vous pour vous éprouver, comme s'il vous survenait quelque chose d'étrange. Mais, dans la mesure où vous participez aux souffrances du Christ, réjouissez-vous, afin que, lors de la révélation de Sa Gloire, vous soyez aussi dans la joie et l'allégresse. » (1 Pierre 4, 12-13)

Dieu n'a fait aucune promesse de vous donner une vie sans souffrance humaine. Il vous a promis une façon de vous en libérer ou de la porter avec profit. Au meilleur de votre connaissance, vous avez probablement fait, jusqu'ici, ce qu'il était possible de faire.

« *Au moment où vous avez agi, c'était le plus parfait que vous pouviez être.* »

Vous n'avez donc pas à vous culpabiliser. À ce moment-ci, l'important, c'est d'en sortir. Ce qui est, est. Rien ne sert de chercher la cause de votre chagrin. Vous souffrez. Alors, cessez de vous culpabiliser. Cessez de vous condamner ou de condamner les autres. Ce qui compte, c'est de vous tourner vers la Toute-Puissance Divine qui vous dit : « Demandez et vous recevrez. Frappez et l'on vous ouvrira. » (Mt 7, 7) « Je suis avec vous tous les jours. » « Ayez confiance, c'est moi, soyez sans crainte. » (Mt 14, 27) « Et voici que je suis avec vous pour toujours jusqu'à la fin du monde. » (Mt 28, 20)

Ne pas culpabiliser Dieu

Vous êtes capables de porter ce qui vous arrive. Dieu le Père vous dit : « Aucune tentation ne vous est survenue qui passât la mesure humaine. Dieu est fidèle. Il ne permettra pas que vous soyez tentés au-delà de vos forces, mais avec la tentation, Il vous donnera le moyen d'en sortir et la force de la supporter. » (1 Co 10, 13)

Le plus grand des blasphèmes est de s'imaginer que Dieu est la cause de votre malheur.

Croire que Dieu vous éprouve pour vous amener à une meilleure conscience est un affront à la miséricorde du Père Aimant. Dieu n'est pas plus responsable de votre malheur que vous ne l'êtes. C'est tout simplement les conséquences de la faiblesse humaine. Il a promis à ceux et à celles qui lui font confiance d'effacer leurs larmes et de leur redonner la force : « Sa colère est d'un instant, sa faveur pour la vie : au soir, la visite des larmes, au matin, les cris de joies. » (Ps 30, 6)

Pleurer à chaudes larmes est un des signes que votre deuil est en voie de se résorber. Allez-y ! Pleurez ! les larmes libèrent. Implorez Dieu jusqu'à ce que vos larmes disparaissent. Attention : vos larmes doivent provenir uniquement de votre cœur blessé et non de l'apitoiement sur vous-même. La vie continue. Avec l'aide de Dieu, vous serez surpris de voir tout ce que vous pouvez porter. Le bonheur n'est pas de vivre sans peine et sans blessure. Le bonheur est d'apprendre à vivre une journée à la fois, en dépit des difficultés de la vie. Le bonheur c'est la capacité de se réjouir peu importe le passé. Vous pouvez vous sentir rejeté. Vous pouvez vous sentir abandonné. Votre foi peut être défaillante. Vous pouvez vous sentir peiné, vide, Dieu est toujours présent.

Dieu existe toujours.

Sans Lui, vous ne pouvez pas arrêter votre mal. Mais si vous ouvrez votre cœur, Dieu vous délivrera de vos soucis, même de votre peur de mourir. Il vous révélera son amour sans fin. Affermissez votre foi. Dieu est avec vous. Rien ni personne ne peut vous dominer si vous accueillez Dieu dans votre cœur. La ligne dominante est votre foi. Vous êtes ce que vous croyez : « Aucune arme forgée contre toi ne saurait être efficace. Toute langue qui t'accuserait en justice, tu la confondras. Tel est le lot des serviteurs de Yahvé, la victoire que je leur assure. Oracle de Yahvé. » (Is 54, 17)

RECONNAÎTRE LE CHAGRIN

Les visages du chagrin sont multiples.

- **Chagrin normal**
  Le chagrin normal provoque des sentiments de colère, de peur, de panique, de déprime, etc... La vie est sérieusement perturbée. L'intérêt au travail est annulé. Avec un peu d'aide, un bon support, la personne reprendra le goût de vivre.

- **Chagrin prolongé**
  Le chagrin prolongé est en quelque sorte un chagrin anormal. La culpabilité devient excessive, névrotique même. C'est un état devenu pathologique, une incapacité à sortir de son sentiment de perte. C'est une maladie. Elle peut durer longtemps. Consulter un médecin et un bon thérapeute s'avère nécessaire.

- **Chagrin refoulé**
  Le chagrin refoulé est celui de la personne incapable d'exprimer ses émotions. C'est un état de refoulement. Cette inhibition peut amener de graves désordres à l'organisme. Dans ce cas, la première règle à suivre est de parler de son deuil.

Se trouver une personne capable d'écouter attentivement s'avère nécessaire.

- **Chagrin réduit**
  Le chagrin réduit est un refus de vivre sa peine.
  C'est la réaction de l'homme qui remplace la perte
  de son épouse par un mariage précipité. C'est une
  sorte de fuite. Un jour ou l'autre, l'endeuillé(e)
  devra faire face à son chagrin.

- **Chagrin anticipé**
  Certains anticipent leur chagrin en vivant une
  partie de la peine de la perte annoncée avant
  qu'elle ne se produise. C'est le cas du médecin qui
  soigne sa mère depuis plusieurs mois alors qu'elle
  se trouve en phase terminale. La peine d'une
  séparation déjà prévue d'avance, dans la souffrance, est souvent vécue comme une délivrance.
  Plus la perte est attendue, moins le chagrin est
  bouleversant au moment de la séparation.

- **Chagrin retardé**
  Pour toutes sortes de raisons, certaines personnes décident de ne pas s'arrêter au chagrin de
  la perte. Elles le mettent entre parenthèses. Un
  bon jour, un événement anodin agira comme déclencheur et le chagrin resté en profondeur refera

surface. Il peut être malsain de retarder impuné-
ment son chagrin.

Il existe autant de façons de faire son deuil qu'il
existe de personnalités. L'habileté de la personne à se
réajuster, sa maturité, sa santé, sa foi, son tempéra-
ment et sa culture sont autant d'éléments déterminant
la profondeur et la durée du deuil.

RÉAGIR AUX PERTES

La vie est une succession de pertes. Plus la vie est longue, plus les pertes sont nombreuses. Chaque perte amène une réaction émotionnelle. Réaction à la perte est différent de réaction de perte.

La réaction à la perte permet de mettre en fonction le processus du deuil. La réaction de la perte est l'état de dépression. Réagir à la perte consiste en un ajustement, une réadaptation à la situation nouvelle. L'incapacité peut conduire à la désintégration de la personne.

Voici quelques réactions à la perte :
- La perte est vécue comme une fuite et conduit à l'isolement. C'est l'évasion de la vie habituelle. Il y a refus d'affronter la réalité.
- L'inaction s'installe. Découragé, l'individu n'entreprend rien.
- L'endeuillé devient déprimé. Le temps semble s'arrêter. Le découragement devient une manière de sentir, la déprime, un mode de fonctionnement.
- À un moment donné, la déprime est surmontée. Une reprise à la vie s'opère. La personne se réajuste et l'espoir s'installe. Pour qui a la foi,

l'espérance fait surface et devient une disponibilité à l'avenir. L'humilité, petite sœur de l'espérance, prend place et fait jaillir la lumière. Dans ce sens-là, l'humilité est une attitude positive face à ses pertes. Alors l'expérience de la perte devient aussi une expérience de croissance. Du tombeau jaillit la vie.

ÉCOUTER SES ÉMOTIONS

Permettez-vous de vous abandonner totalement
à vos émotions et elles s'intégreront. En soi, l'émotion
est le résultat d'une résistance à quelque chose. L'émotion demeure tant que dure la résistance. La colère est
la résistance à faire une chose que vous sentez devoir
faire. Résister à faire ce que vous croyez devoir faire,
c'est de la colère. Si vous résistez à un souvenir agréable, vous ferez naître la tristesse. La tristesse est la
résistance à un changement. La peur est la résistance
à un futur possiblement sombre auquel vous résistez.
Si vous résistez de rencontrer votre dentiste que vous
craignez à cause de..., vous aurez peur. Si vous le
rencontrez, vous ferez disparaître la peur. La frustration est cette résistance à l'humilité. Face à votre
erreur, vous serez soit humble, soit frustré.

L'humilité est une attitude positive face à ses
faiblesses ou à ses peurs. La frustration, elle, est la
résistance à accepter ses limites. Écoutez vos émotions.
Vous êtes vos émotions. Elles vous disent tout de vous.

SORTIR DE SA SOLITUDE

Depuis qu'il est parti, vous vous sentez seul. Vous faites l'atroce expérience de la solitude de l'endeuillé(e).

Vous pouvez vous sentir seul, mais ne vous isolez pas. Votre isolement est la fuite de la relation.

Rapprochez-vous de votre famille de sang. Joignez-vous à un groupe de soutien. Communiquez avec votre Église, avec votre centre hospitalier, les A.A. ou tout autre groupe social. Peu importe le nom, ne restez pas seul, allez vers des personnes attentives ou des groupes accueillants.

LÂCHER PRISE

L'arbre laisse tomber ses feuilles. L'eau coule dans la rivière. Les nuages filent dans le firmament. La vie est comme l'eau dans la rivière, elle passe. Cessez de retenir. Laissez aller. Ouvrez les mains. Fermer les mains c'est étouffer. Retenir c'est se faire mal. Aimer c'est laisser aller. Laisser aller c'est donner la vie comme la femme qui accouche. Laisser aller c'est vivre en paix, c'est pardonner, c'est oublier, c'est se libérer de ses peurs, de ses ressentiments.

Laisser aller c'est apprendre à vivre et à mourir. Laisser aller sa jeunesse, ses enfants, ses parents, son conjoint, son passé. Retenir l'essentiel : la vie, puis laisser aller sa propre vie. Voilà la sagesse.

NE PAS SOUFFRIR INUTILEMENT

La période de chagrin due à la perte peut durer des jours, des semaines, des mois, voire des années.

Il est très sain de vivre son chagrin et de l'assumer les premiers mois après une perte ou une rupture. Cependant, il n'est pas nécessaire de souffrir inutilement. Il n'y a pas d'autre façon de vivre son deuil que de vivre jusqu'au bout le chagrin qui s'y rattache. Essayer de fuir sa peine ne fait que la prolonger. Endormir sa peine par l'alcool ou les tranquillisants, même s'ils sont parfois nécessaires, ne fait que la reporter à plus tard. Il est bon de vivre son chagrin. Il est malsain de souffrir inutilement en prolongeant indûment sa souffrance par sa culpabilité. Ne souffrez pas inutilement.

SURMONTER L'ÉPREUVE

Quand le drame du deuil fond sur vous, vous ne savez pas comment vous en sortir. Comment retrouver le goût de vivre en dépit d'un profond chagrin ?

Voici quelques orientations pour surmonter l'épreuve :

- Pardonnez-vous et pardonnez aux autres.

- Oubliez la méchanceté d'autrui.

- Au moment où les autres ont agi, au moment où vous avez agi, c'était le plus parfait que vous pouviez être.

- Tendez la main. Rapprochez-vous des autres.

- Aimez les gens qui vous approchent. Sortez, allez au cinéma.

- Appréciez vos qualités. Pensez à ce que vous avez. Soyez généreux envers vous-même.

- Pratiquez la gratitude. Tournez-vous vers la lumière. Sachez remercier.

- Par-dessus tout, apprenez à vous gâter.

    Jésus a dit :

    « Aime ton prochain
                comme toi-même. » (Mc 12, 31)

    Notez bien ce « comme toi-même » d'abord.

BLESSURES FRÉQUENTES

DIVORCER, SE SÉPARER

Il est parfois plus facile de faire face à l'irrévocabilité de la mort que d'affronter les sentiments d'ambivalence provoqués par la séparation. Le conjoint parti, vous devenez d'un seul coup la moitié du couple que vous formiez. Cette situation vous affecte durement et vous sentez un très grand vide. Avec ce départ, vous perdez aussi toute la camaraderie, l'affection et le contact sexuel que cela comportait. Cette brisure du lien conjugal fait aussi naître le ressentiment chez plusieurs d'entre eux. Certains chercheurs affirment que 63 pour 100 des personnes divorcées restent en colère les unes contre les autres, et 58 pour 100 sont encore devant les tribunaux 5 ans après le divorce.

Contre vents et marées, vous devez vous habituer à vivre un nouveau mode de vie car celui-ci ne sera plus jamais comme avant. Un monde nouveau va naître. Votre vie peut même devenir plus agréable à l'avenir. C'est à vous de meubler et de réorganiser ce nouveau mode de vie à votre image et désir.

Lors de la séparation, la première étape à franchir consiste à reconnaître et à admettre que vous avez perdu un être cher. Admettez que pour l'instant le cœur de votre vie est brisé. Ce changement majeur, même si vous avez décidé vous-même de le provoquer, va vous faire ressentir des effets négatifs. Vous réagirez de la même façon que devant la mort, soit par un état de choc, de colère ou de dépression.

Conseils aux nouveaux divorcés

1- Ne cherchez pas à nier vos sentiments. Vous avez à suivre les étapes normales du deuil. Souvenez-vous que la plaie de la perte se cicatrise toujours.

2- Tenez-vous occupés. Conservez vos occupations ordinaires et suivez le cours normal de la vie.

3- Rencontrez d'autres personnes divorcées. Elles peuvent comprendre ce que vous vivez et vous être d'un grand support.

4- Évitez la tentation de remplacer rapidement votre ex-conjoint. Vivez votre deuil à fond avant de refaire votre vie.

5- Cherchez de l'aide. Un membre du clergé, un professionnel de l'écoute, un groupe de soutien ou votre médecin peuvent être d'un grand bien.

6- Planifiez certaines activités pour vos congés ou vos week-ends. Il est possible que les rencontres familiales ne soient plus les mêmes. Alors, d'autres relations peuvent s'avérer très soulageantes.

7- Aidez d'autres personnes. Le bénévolat est toujours possible. En aidant les autres, vous rehaussez l'estime de vous-même et réapprenez à aimer à nouveau.

8- Restez en contact avec vos enfants et avec vos parents si la relation est bonne. Eux aussi souffrent de votre séparation.

9- Priez pour votre ex-conjoint et demandez à Dieu un surplus de force quand vous aurez à le rencontrer.

10- Les sentiments de colère et de révolte sont dévastateurs. Seul Dieu, dans ces circonstances, peut vous conduire sur le chemin de la libération et de la paix intérieure.

Aider les enfants

1- Dites à vos enfants ce que vous ressentez même si vous ne pouvez pas leur décrire toute l'ampleur de votre chagrin.

2- Expliquez-leur les raisons de votre séparation. Dites toujours la vérité. Ainsi vous éviterez qu'ils se culpabilisent. Les enfants peuvent se croire la cause du divorce.

3- N'essayez pas de détourner votre enfant de son autre parent. N'utilisez pas votre enfant comme moyen de chantage. Les parents brisent le cœur de leur enfant en parlant négativement l'un contre l'autre.

4- Évitez de chercher à faire parler vos enfants par la menace. Soyez disponibles et accueillants. Avant tout, sachez les écouter. Le facteur le plus curatif reste toujours l'amour-charité.

5- Soyez attentifs à leurs besoins affectifs. C'est en les touchant que vous pourrez leur faire comprendre et saisir l'amour que vous avez pour eux.

6- Encouragez-les à parler de leurs sentiments avec une personne compétente. Ne leur imposez pas les sentiments que vous pensez qu'ils devraient avoir. Leur peine leur et confusion sont réelles.

7- Permettez et conservez les liens de communication entre vos enfants. Ils souffrent autant que vous.

8- Souvenez-vous que le chagrin des enfants du divorce est aussi fort que celui senti après le décès d'un être cher.

9- Prenez conscience que les familles reçoivent plus de support après une mort qu'une séparation.

10- Encouragez vos enfants à prier Dieu car le divorce n'est pas le signe que Dieu vous aime moins ou qu'Il n'est pas présent en vous.

Aider ceux qui aident

1- Soyez chaleureux dans votre accueil. Évitez de juger ou d'avoir une attitude de supériorité.

2- Ayez l'esprit ouvert et faites preuve de compassion. Ne blâmez ni l'un ni l'autre. N'opposez pas l'un contre l'autre.

3- N'utilisez pas les clichés suivants : « Vous ne devez pas penser comme cela ». « Il y a des gens plus malheureux que vous ». « Je sais ce que vous ressentez ». « Je suis peiné ». Les divorcés sentent déjà assez leur souffrance sans les charger de la vôtre.

PERDRE UN ENFANT

La perte d'un enfant est une expérience tragique et très déchirante pour les parents. Perdre un enfant, c'est perdre ses rêves et une partie de son avenir. L'enfant est l'avenir de l'humanité.

Les parents qui vivent le deuil d'un enfant font souvent face à certaines difficultés relationnelles et parfois à la rupture de couple s'ils n'ont pas le support nécessaire. S'ils veulent survivre, les parents devront apprendre à vivre différemment et à traverser positivement cette nouvelle étape de croissance même si elle est douloureuse.

Rien ne peut remplacer l'enfant disparu. La simple vue d'un enfant ayant les mêmes traits, des gestes semblables, ne fait que ranimer les sentiments reliés à la perte. Le vide est difficile à combler. La peur d'avoir un autre enfant surgit. Certains parents réagissent autrement, en idéalisant l'enfant décédé ou en décidant de le remplacer. Le simple fait de parler de l'enfant disparu amène souvent la discorde entre le père et la mère. Alors parents, demandez de l'aide. N'éternisez pas votre deuil.

Conseils aux parents

1- Les experts disent qu'une famille prend de 12 à 24 mois pour se stabiliser après la mort de l'un des leurs. C'est très lentement qu'on fait son deuil. Alors, ne jouez pas au surhomme.

2- Votre période la plus difficile peut prendre place 6 ou 8 mois après la perte de l'enfant. Au moment de l'événement, vous êtes en état de choc et les proches sympathisent avec vous. Mais c'est parfois au moment le plus creux de votre désespoir que vos amis pensent que vous vous en êtes sortis.

3- Comme parents, permettez-vous de faire votre deuil séparément et conjointement. Il n'y a pas deux personnes qui réagissent de la même façon. Respectez le rythme de votre conjoint.

4- Ne blâmez personne. Ni l'autre, ni vous-même. Perdre un enfant fait naître un sentiment de culpabilité chez les parents. Acceptez que les sentiments de colère, de peur, de culpabilité et de déprime fassent partie du deuil normal.

5- Si vos amis ne communiquent pas avec vous, appelez-les et dites-leur qu'ils vous manquent. Si vous parlez ouvertement de votre chagrin, ils seront plus à l'aise avec vous.

6- Parlez avec de vrais amis ou avec des gens ayant eu la même expérience que vous.

7- Quand on vous demande comment ça va, ne dites-pas « ça va bien » par politesse. Il est bon de faire savoir à vos proches combien vous êtes déchirés.

8- Prenez le temps qu'il faut pour pleurer ou crier votre douleur. C'est une bonne et saine thérapie.

9- La dépression est souvent une colère tournée contre soi. Exprimez votre colère, mais sans punir qui que soit.

10- Sachez éviter les gens ou les situations qui ne vous aident pas à sortir de votre chagrin.

11- Prenez beaucoup de repos. Donnez-vous du temps. Pardonnez-vous. Pardonnez aux autres. Ne restez pas seul. Parlez beaucoup de votre deuil. Ayez confiance mais n'attendez pas de miracle.

12- Prenez vos propres décisions. Ne laissez pas aux autres la responsabilité d'une partie de votre vie.

Même en deuil, vous conservez tous vos moyens intellectuels et psychologiques. Cependant, acceptez l'aide qu'on vous offre.

AIDER L'ENFANT À COMPRENDRE
LA MORT

Servez-vous des animaux et des plantes. Quand un enfant perd un animal, il vit un deuil. Ne remplacez pas l'animal immédiatement. Enseignez aux enfants que les plantes naissent, grandissent et meurent comme tous les êtres vivants.

Soyez ouverts à l'enfant qui pose des questions sur la mort. Si vous n'avez pas de réponse, dites-lui que vous allez vous renseigner.

Puisque l'inconnu provoque de l'anxiété chez l'enfant, parlez de la mort comme un phénomène naturel. Si l'occasion se présente, allez à des funérailles avec l'enfant et donnez-lui quelques explications par la suite.

Soyez honnêtes avec l'enfant. La franchise resserre les liens entre l'adulte et l'enfant. L'enfant cherche à tout connaître. Si vous lui cachez la vérité, il y a danger qu'il y ait des zones qu'il ne peut pas partager avec ses parents.

Évitez les jugements et les discours moralisa-
teurs. Par exemple, ne dites-pas : « Tu ne devrais pas
te sentir comme ça », etc...

Employez le mot juste. Évitez les paroles vagues
comme : « Il est disparu » ou « Nous l'avons perdu ». Il
est plus simple de dire : « Il est mort, parti pour un
monde meilleur ».

Évitez de faire le parallèle entre la mort et le
sommeil. L'enfant peut confondre mourir et dormir. Le
sommeil est un repos. La mort, une disparition défini-
tive.

LA MORT PAR SUICIDE

Le suicide est la deuxième principale cause de décès chez les jeunes Canadiens de 15 à 30 ans. Dans le grand Toronto, il y a, dit-on, un suicide tous les jours et plusieurs autres tentatives avortées. Il se peut que les pressions de la vie semblent si intolérables à certaines personnes qu'elles en viennent à considérer le suicide comme la seule porte de sortie.

Si un proche s'est enlevé la vie, voici quelques attitudes à développer.

- Reconnaissez votre impuissance car vous n'aviez aucun pouvoir de l'empêcher de poser cet acte.

- Vous étiez aussi impuissants à arrêter ce suicide que le suicidé l'était lui-même.

- Si vous êtes mal à l'aise de relater les circonstances entourant la mort de votre parent ou ami, respectez votre droit au silence.

- N'essayez pas de nier ou de cacher la colère qui monte en vous. Celle-ci est une émotion naturelle et conséquente à la perte d'un être cher. Si vous

êtes en colère contre Dieu, partagez votre émotion avec un prêtre compréhensif.

- N'ayez aucune crainte, Dieu comprend votre colère, lui qui a chassé les vendeurs du temple.

- Pardonnez-vous et ne jugez pas de votre compor-
  tement envers la personne qui s'est suicidée lors-
  qu'elle était encore vivante.

- Très souvent, les proches d'un suicidé se sentent
  coupables. Alors, acceptez le fait que personne
  n'est responsable de l'action d'un autre individu.
  Il y a des limites à votre pouvoir sur un autre être
  que vous-même.

- Consultez un professionnel de la santé ou joignez-
  vous à un groupe de soutien.

- Retournez à votre routine habituelle et gardez
  contact avec vos amis et votre famille.

- Les enfants ont le droit de savoir les circonstances du décès. Le mensonge et la cachotterie
  sont néfastes. L'imagination d'un enfant est plus
  puissante que le choc de la vérité.
  Permettez-lui d'exprimer ses émotions en lui as-

surant votre soutien.

Un enfant a besoin d'être touché chaleureuse-
ment pour reprendre sa sécurité.

• Placez votre confiance en Dieu.

LA PEINE D'AMOUR

Un jour, une personne est entrée dans votre vie. Elle est devenue un miroir qui vous illuminait. Par cette personne, vous avez senti que l'univers circulait en vous. Cette rencontre vous incitait à la beauté, à la passion et à l'amour. Vous connaissiez un moment d'illumination. Selon le dicton populaire, vous étiez « tombé amoureux ».

Cette merveilleuse expérience, vous vouliez la conserver. Vous vous y êtes accroché. Vous croyiez alors que cette personne était votre unique source de bonheur, et c'était vrai.

À ce moment, l'autre est devenu un objet, une dépendance, une sorte de drogue. Cette rencontre de vous-même peut être arrivée à l'occasion d'un congé prolongé, d'une intimité avec une compagne de travail ou votre thérapeute, etc....Soudain, cette révélation est brisée. Vous vivez alors une peine d'amour. Le deuil, dû à cette peine d'amour, c'est croire que l'autre vous remplissait ou vous illuminait. La réalité, c'est que l'autre n'était qu'un **miroir** dans lequel vous vous êtes reconnu. Vous êtes devenu amoureux de vous-même. Dans l'autre, vous vous êtes aimé. Et c'est le jaillissement, en vous, de vos capacités d'aimer qui était la cause de votre bonheur. L'autre n'a été que le déclencheur. Votre deuil, c'est d'attendre encore la vie de l'autre qui n'est plus. Votre chagrin est le lien qui vous attache à la personne disparue. Vous êtes envahi par l'absence de l'autre. Vous êtes en deuil, c'est-à-dire en état de vide. Votre énergie est bloquée. Vous êtes souffrant. Un fantôme prend toute la place. La déprime s'installe. Monsieur, Madame, votre souffrance a assez duré. Tournez-vous vers la vie. Vous êtes le seul responsable de votre bonheur. Ouvrez-vous à la vie. Dieu vous habite. Si vous vous laissez aller, vous découvrirez à nouveau la joie de vivre.

LES 10 ÉTAPES DU DEUIL

LES 10 ÉTAPES DU DEUIL

Première étape :
nous sommes en état de choc

Dieu nous a faits de telle sorte pour que nous puissions supporter la douleur, le chagrin et même le malheur. Cependant, quand le chagrin domine, la nature nous anesthésie pour que nous puissions faire face à cet événement tragique qui frappe notre vie. Cette anesthésie temporaire, – les spécialistes la nomment état de choc – nous empêche de faire face d'un seul coup à cette cruelle réalité du deuil. Cet état de choc peut durer de quelques minutes à quelques heures et même à quelques jours. Si cela se prolonge à quelques semaines, c'est un état de choc malsain, et l'aide professionnelle devient nécessaire. Mais ne soyez pas effrayés du choc qui survient au tout début de étapes du deuil. Quelquefois au salon funéraire, nous voyons la veuve éplorée qui, loin d'être abattue, semble plutôt radieuse en accueillant les gens venus offrir leurs condoléances. On dira d'elle : « Quelle foi et quelle sérénité l'habitent ». Pourtant, la vérité est tout autre. Cette femme est en train de faire l'expérience de l'anesthésie temporaire – état de choc – qui l'aide à vivre ce moment-là, d'une façon acceptable, pour ensuite vivre la prochaine étape du deuil.

Le choc est une évasion temporaire de la réalité. Cette étape est bonne en autant qu'elle est temporaire. C'est quand une personne préfère demeurer dans ce monde imaginaire plutôt que de faire face à la réalité de sa perte que cela devient malsain. C'est une des raisons pour lesquelle on recommande aux endeuillés de se garder passablement occupés et de continuer à exercer autant que possible leurs activités régulières pendant cette période de crise. Dans cette première étape du deuil, les personnes aidantes verront à être proches de la personne et à être disponibles pour l'aider si tout s'écroule, mais sans lui enlever la valeur thérapeutique de tout faire pour elle-même ce qu'elle peut faire par elle-même.

L'important n'est pas d'être sympathique, mais empathique. C'est ce qui aidera le plus la personne à sortir de son état de choc et à passer au travers de son chagrin.

Deuxième étape : nous exprimons de l'émotion.

Le laisser-aller émotionnel arrive à peu près en même temps où l'on commence à réaliser l'horreur de cette perte. Quelquefois, sans avertissement, monte en nous une envie incontrôlable d'exprimer notre chagrin.

Et c'est justement ce que nous devrions faire : nous laisser aller à exprimer les émotions que nous ressentons réellement est une voie privilégiée de libération dans le deuil. On nous a donné des glandes lacrymales, et il est bon de s'en servir quand il y a de bonnes raisons.

Dans notre société, il est difficile pour les hommes de pleurer. Dès l'enfance, on leur a enseigné que des petits garçons ne devraient pas pleurer. Une fois la leçon bien apprise, comment à 40 ans pleurer, même à la suite d'une perte importante ? Plusieurs pensent même que pleurer est un signe de faiblesse. Quand nous parlons de laisser-aller émotionnel, ceci nous fait penser aux émotions et à notre foi. Pour certaines gens, il peut paraître étrange, dans notre ère dite scientifique et de froideur, que nous devrions encourager l'expression des émotions.

L'émotion est essentielle à une personne et tenter de la réprimer serait amoindrir cette personne. L'émotion est le moteur et la motivation de tout ce que nous faisons. Une des erreurs de la religion intellectuelle fut d'avoir étouffé l'émotion. Les célébrations du dimanche, dans certaines églises, ressemblent plus à des séries de lectures qu'à une expérience spirituelle. Nous ne devons pas et nous n'avons pas à nous excuser pour l'émotion que nous ressentons lorsque nous éprouvons du chagrin. À l'occasion d'un deuil, il est bon de donner libre cours à son chagrin.

Troisième étape :
nous nous sentons déprimés et seuls

Survient alors le sentiment de dépression et de solitude. C'est comme si Dieu nous abandonnait. Il nous semble que personne n'a vécu un tel désespoir. Cette terrible expérience d'être déprimé et isolé, même s'il n'y a pas deux personnes qui réagissent de la même manière, est un phénomène universel chez ceux qui vivent un deuil profond. Dans ce sens, la dépression est le **sentiment de disparaître avec le disparu**. Rappelez-vous que la dépression fait partie d'une bonne et saine manière de vivre un deuil, elle est aussi un trouble affectif très facile à soigner.

Quand nous sommes déprimés, nous nous trouvons perdus et nous sentons que quelque chose semble s'interposer entre nous et le reste du monde. Alors, on ressent une grande solitude et un terrible sens d'isolation. On croit ne pas pouvoir s'en sortir. La dépression n'est pas uniquement pour vous et moi ; elle est une expérience qui semble arriver à tous les gens qui subissent une perte importante dans leur vie. La dépression est un peu comme les nuages, ils ne durent pas toujours, mais se déplacent lentement. N'oubliez jamais que la dépression est une étape passagère, même si au beau milieu, vous croyez qu'elle n'en finira jamais. L'expérience des gens au travers des siècles a été que les sombres nuages de la dépression se déplacent toujours. Pour certaines gens, les nuages disparaissent d'un seul coup. Quelque chose arrive en eux, ou un événement important déclenche un mouvement vers la prochaine étape du deuil.

Quatrième étape : nous expérimentons des symptômes de détresse.

Comme conseiller spirituel dans un grand centre médical, je suis devenu conscient du fait que plusieurs des patients que je vois restent malades pour ne pas avoir résolu une situation de deuil profond. La perte dans la mort ou la rupture d'un être aimé constitue une expérience perturbante pour ceux et celles qui restent. On constate que le taux de mortalité tend à augmenter chez les personnes en deuil. On y trouve le suicide sous différents aspects. Il y a un lien certain entre le deuil, les troubles psychiatriques, et la dépression profonde. Laissez-moi vous illustrer ce problème psychosomatique (l'esprit agit sur le corps) dont il est question quand je parle du lien entre perte et maladie.

J'ai rencontré un jeune couple de la Mauricie, lui s'appelle Joseph et elle Marie. Marie s'occupe des tâches ménagères et Joseph a un emploi qu'il aime beaucoup. Son salaire est minime et leur demeure convenable. Joseph vient à la maison prendre son dîner, et lui et sa femme trouvent le temps pour magasiner et jardiner ensemble. Tous les jours à 4 heures, il est à la maison et ils passent chaque soirée ensemble. Les deux sont nés dans ce même beau petit village. N'ayant pas eu d'enfants, ils reçoivent régulièrement neveux et nièces et ils ne manquent de rien.

Un jour, on demande à Joseph de remplacer son patron pour un voyage à Ottawa. Là, il rencontre un homme qui lui offre de se joindre à sa firme, lui offrant un salaire trois fois plus élevé que celui qu'il fait en Mauricie. Après entente avec Marie, Joseph accepte cette offre avec beaucoup d'enthousiasme. Le couple déménage à Ottawa. La vie est comme dans un conte de fées, excepté que Joseph ne vient plus à la maison pour dîner, arrive tard le soir et sa femme s'ennuie beaucoup de lui. Les choses allaient assez bien jusqu'au jour où ils apprirent que Joseph devait s'absenter deux ou trois jours par semaine pour voyager sur la route. Ce fut un choc pour Marie. Cela changeait complètement sa manière de vivre. Les journées normalement remplies d'activités en relation avec son mari, les rencontres avec la famille, les événements habituels du village natal n'étant plus qu'un souvenir, la maison de Marie était maintenant remplie de vide et d'ennui. Son appartement si joli et si bien décoré prend alors l'apparence d'une prison pour elle. Elle ne peut s'empêcher d'être pleine de ressentiment pour l'emploi de son mari. Malgré le gros salaire et le succès de l'emploi de son époux, Marie souhaite qu'il quitte Ottawa et revienne en Mauricie. Naturellement elle n'ose pas lui en parler. Elle fait plutôt bonne façade, et prétend être enchantée du succès de Joseph. Elle ne se confie à personne. Très tôt, cependant, Marie donne des signes de fatigue et de lassitude. La relation entre eux se perturbe. Joseph insiste pour qu'elle voie le médecin. Elle accepte. Le docteur lui prescrit des médicaments qui lui font du bien pour un certain temps. Après quelques semaines, elle a une rechute et les mêmes symptômes réapparaissent. Elle entre à l'hôpital pour des examens plus complets. On n'y trouve rien d'anormal physiquement. Malgré tout, Marie est malade.

Qu'est-ce qui arrive à Marie ? Elle a subi une grande perte. Elle est une femme en deuil. Son hostilité, ses sentiments de culpabilité, son ressentiment, sa solitude, toutes ces choses sont entremêlées avec son chagrin. Voilà la raison de sa maladie. « L'esprit influence le corps » diront les spécialistes des troubles psychosomatiques. Dans de telles situations, le chagrin dû à la perte est un facteur important dans la maladie. C'est pourquoi les médecins, les psychologues, les travailleurs sociaux et les prêtres doivent joindre leurs efforts afin que l'on ne soigne pas seulement les symptômes physiques. Marie doit maintenant être amenée à comprendre la cause de ses maux physiques. On doit lui offrir l'aide qui lui permettra de passer au travers ses sentiments de perte.

Dans cette étape, il s'agit de comprendre que ce ne sont pas les symptômes qu'il faut traiter mais les causes réelles qui sont très souvent spirituelles.

Cinquième étape :
nous devenons inquiets

Nous nous sentons envahis par un sentiment d'inquiétude parce que nous sommes uniquement concentrés sur la perte subie. Cette idée fixée sur la perte retarde toute efficacité dans notre travail. Nous nous inquiétons aussi au sujet de notre santé mentale étant donné notre grande distraction face à tout le reste du monde. Et pourtant, l'incapacité à se concentrer au moment du deuil est aussi naturelle que le besoin de respirer. Quand un être a été vraiment important pour nous depuis si longtemps et nous est enlevé, on ne peut pas s'attendre à être actif comme avant, mais, au contraire à être constamment attiré par le sentiment de perte et aussi à souffrir en prenant conscience que cet individu est perdu pour toujours. C'est donc normal de se sentir inquiet et parfois de devenir paralysé par la peur à la suite d'une grande perte. C'est donc urgent de comprendre le processus du deuil bien avant la perte future afin que nous puissions éliminer la panique qui accompagne la peur de l'inconnu. Quand on nous aura mis au courant des tours que le chagrin joue à notre esprit, alors nous ne serons pas dépassés par les troublantes pensées qui semblent nous dominer à l'occasion d'un deuil significatif. C'est dans cet esprit que ce livre a été écrit.

Sixième étape :
nous ressentons de la culpabilité.

Seuls les êtres humains ressentent de la culpabilité. Celle-ci consiste en un sentiment d'insatisfaction pour ce que nous avons pu être ou faire à la personne disparue, du temps qu'elle était présente à nos côtés. Les psychologues diront qu'il y a au moins quatre sortes de culpabilité. La première est celle qui provient de l'infraction à une loi civile ou religieuse. Ensuite, celle que j'éprouve quand je n'ai pas su répondre aux demandes ou aux attentes des autres. En troisième lieu, celle de ne pas avoir été à la hauteur de l'image que j'ai de moi et enfin, celle de me sentir isolé des miens, des autres et/ou de Dieu.

Il ne faut donc pas se surprendre d'avoir un sentiment de culpabilité après avoir perdu un être cher par la mort, la maladie ou la séparation. Il serait difficile de concevoir que quelqu'un d'entre nous qui a vécu très près du disparu ne se sente pas coupable au sujet des choses que nous avons omises de faire à cette personne quand elle était avec nous. Pour bien revivre à nouveau, il est donc important de travailler à éliminer sa culpabilité, car les émotions incomprises ou non résolues peuvent nous rendre misérables des années et elles peuvent s'extérioriser en une variété de symptômes d'ordre physique et de détresse.

Culpabilité et sens du péché

Se libérer de sa culpabilité ne met pas en question le sens du péché. Il n'y a péché que par rapport à Dieu. Nous connaissons notre péché dans la mesure où nous connaissons la bonté de Dieu et la grandeur de la miséricorde de Dieu. Le péché, c'est le refus de croire que Dieu nous aime, même si nous sommes pleins de souillures. La conscience du péché nous amène à la certitude du pardon et elle apporte la paix. Avoir la paix est le signe de la rectitude de notre sens du péché. Quand je perds la paix, je perds le sens du péché.

Conscience culpabilisée	Sens du péché
• Une attention fixée sur le « MOI » qui se sent en danger. Fermeture et névrose.	• Une attention fixée sur Dieu qui libère. Ouverture et libération.
• La conscience culpabilisée porte surtout sur les pensées, les désirs et le sexuel.	• Il y a détachement de la peur, acceptation, sans obsession, de sa condition humaine.
• Souci crispé de sa propre pureté et retour indéfini sur le passé.	• Oubli de soi, de son péché et une foi centrée sur la bonté de Dieu.
• Une spiritualité imaginaire et une obsession d'être en ordre devant Dieu.	• Une spiritualité concrète accueillante et une compréhension pour soi et pour l'autre.

- Primat de la loi, peur d'autrui et peur du sexuel par crainte de souillures.
- Primat de l'amour, n'attend et n'exige rien des autres et n'a pas peur du nouveau.

Les sentiments morbides de culpabilité sont à l'opposé du vrai sens du péché. Ne pas confondre culpabilité et sens du péché. Cette fausse culpabilité amène la contamination de la pratique religieuse qui devient formaliste, magique et fétichiste. Dans la confession, la culpabilité amène un aveu compulsif et non la paix qu'amène le sens du péché.

Comment éliminer la culpabilité normale ?

A) Souvenez-vous que vous êtes à la fois et « bon et méchant. »

B) Vous n'êtes qu'un être humain et que l'erreur fait partie de la nature humaine.

C) Rappelez-vous que vous n'êtes pas obligé d'être parfait pour être une bonne personne.

D) Vous n'êtes pas aussi méchant que vous le croyez et vous êtes meilleur que vous le pensez.

E) Pardonnez-vous vos fautes et remettez à chacun sa dette sans rien retenir.

F) Au moment où vous avez agi, c'était le plus parfait que vous pouviez être.

Septième étape :
nous sommes remplis de colère
et de ressentiment.

Graduellement nous sortons de notre dépression, et ce faisant, nous devenons capables d'exprimer nos sentiments de colère et de ressentiment. L'expression de la colère et du ressentiment fait partie intégrante d'un bon deuil. Nous ne voulons pas dire que ces personnes sont encouragées à conserver leur sentiment de colère et de ressentiment. Nous voulons dire que ces sentiments sont normaux pour tout être humain et que la plus saine des personnes peut très bien éprouver de la colère et du ressentiment.

La Bible dira : « sois en colère mais ne pèche pas ». Il est très important d'apprendre à exprimer sa colère mais pas en termes de punition. J'ai le droit d'être en colère, mais je n'ai pas à punir les autres de ma colère à moi.

Quand on nous enlève quelque chose de précieux, inévitablement nous passons par une étape saine par laquelle nous devenons critiqueurs de tout et de chaque personne qui était reliée de près ou de loin à la perte.

Si nous avons perdu quelqu'un par la mort, nous montrons de l'hostilité envers quiconque soignait le patient qui nous était attaché. C'est une des tendances humaines que de chercher à blâmer l'autre pour notre malheur. On peut s'y attendre, on peut se débattre avec les sentiments de colère et de ressentiment, sans oublier qu'avec la grâce de Dieu et l'aide des proches, on peut les surmonter.

Huitième étape :
nous résistons au retour à la vie normale.

Même si nous faisons tout pour sortir de notre deuil et voulons réellement reprendre nos activités usuelles, quelque chose au-dedans de nous semble vouloir poser une résistance. Notre deuil est comme devenu une partie de nous-mêmes et nous résistons à le laisser partir. Notre chagrin est devenu notre seul lien entre le disparu et nous-même. Cette perte a été quelque chose de spécial et nous trouvons que les autres personnes ne comprennent tout simplement pas combien notre douleur a été profonde. Tout le monde a oublié si vite notre tragédie. Quelqu'un se doit d'en garder le souvenir vivant. C'est pourquoi nous ne sommes pas prêts à ce que tout redevienne comme avant.

Nous trouvons aussi que la vie ne vaut plus la peine d'être vécue en l'absence de l'être qui a été pour si longtemps le centre de notre vie. Nous aimons mieux nous chagriner que de mener la bataille, de faire face, seul, à de nouvelles situations. Nous nous trouvons plus confortables dans notre chagrin que de vivre dans un nouveau monde imprévisible. Nous voulons demeurer avec ce qui nous est familier. Bien vivre cette résistance au retour nous amène à l'étape suivante.

Neuvième étape : nous sentons l'espoir revenir.

De temps en temps, tout au long des étapes précédentes, nous apercevons une lueur d'espoir. Et voilà que ce nuage, si noir par moment, commence à s'ouvrir et à se déplacer. Les rayons de soleil commencent à percer. La clarté revient. La respiration est meilleure.

Nous pouvons être dans un deuil profond de quelques semaines à quelques mois. Nous ne pouvons vraiment être certains de la durée de notre deuil. Si nous ne faisons pas notre deuil dans les mois qui suivent, nous pourrons le faire dans 10, 15 ou 20 ans. Certaines personnes ne survivent pas à leur deuil et passeront le reste de leur vie en dépression. Derrière la dépression, il y a toujours une perte quelque part. Pour soutenir notre espoir, nous avons besoin de l'affection et de l'encouragement de ceux et celles qui sont près de nous. Souvent une aide professionnelle s'avère très précieuse. L'espoir nous fait comprendre que d'autres personnes et d'autres expériences peuvent à nouveau redonner un sens à la vie.

Dixième étape :
nous nous débattons pour affirmer la réalité.

Finalement nous commençons à affirmer la réalité dans laquelle nous sommes. Affirmer la réalité ne signifie pas que nous redevenons comme avant. Quand nous vivons un deuil signifiant, nous en ressortons une personne différente. Nous ne serons plus jamais comme avant. Nous serons une personne plus forte, plus affermie ou plus faible qu'avant, selon notre manière de réagir. Dans la vie, « tout est dans la manière et non dans la matière ». Le deuil vous rend plus sain ou plus malade. Tout dépend de votre foi et de votre capacité de faire face aux épreuves. J'ai vu de nombreuses personnes développer une plus grande foi et une plus grande capacité de jouir de la vie à la suite d'une expérience de deuil.

Les gens habitués à s'apitoyer sur leur sort, immatures et puérils dans leur foi, ont tendance à faire face à la perte de manière malsaine. Ces gens-là ne cherchent vraiment pas à s'en sortir et souvent nous les verrons des années après leur deuil se débattre encore avec leur chagrin. C'est à chaque jour qu'on apprend à faire son deuil.

C'est à chaque jour que l'on fait les petits deuils de la vie, celui de voir ses enfants salir le plancher, celui d'avoir été oublié à une réunion familiale ou d'avoir échappé une parole injurieuse à un proche, par inadvertance. Si vous entretenez des rancunes pour les moindres petites dérangements de la vie, comment laisser aller et vivre détaché face à une perte qui déchire le cœur de votre vie. Le deuil est un apprentissage à laisser aller, une préparation au deuil ultime que nous aurons à faire, celui de notre propre mort.

La vie est une suite de deuils. Pour plusieurs, sortir du ventre de leur mère où ils étaient tellement paisibles a été un choc dont ils ne se sont pas relevés. Ne pas avoir eu d'enfants, ne pas s'être marié, avoir été obligé d'abandonner les études, etc...sont autant de deuils qui parsèment la vie d'un être humain. Nous sommes plus spirituels que physiques. Le corps n'est que l'enveloppe de la personne. J'ai pu constater dans ma pratique pastorale que les personnes plus spirituelles que corporelles semblent être capables de lutter plus efficacement car elles sont aidées par une force divine qui jaillit en elles au moment de l'épreuve ou du deuil. Le deuil terminé, la vie ne sera plus jamais la même et ces personnes qui ont vécu leur chagrin jusqu'au bout commencent à ressentir qu'il y a encore beaucoup de choses dans la vie qui peuvent être affirmées.

Et quand un individu affirme quelque chose, il confirme que cela est bon pour lui.

Il n'est pas bon ni recommandable que les gens essayent de supporter leur deuil seuls. Les croyants, au cours des siècles, ont trouvé une force inattendue et nouvelle dans ces mots : « Je suis avec vous tous les jours ».

Vous, endeuillés(es), pleurez mais ne pleurez pas comme ceux qui n'ont plus d'espérance. Quand vous subissez quelque chose qui vaut la peine de vous désoler, allez-y et pleurez. C'est souvent le signe que la résurrection est toute proche. Pour un certain temps, vous avez cru qu'il n'y avait rien dans la vie que vous pouviez ou qu'il valait la peine d'affirmer. Maintenant que les sombres nuages commencent à s'éloigner, et que, à l'occasion et pour les bons moments, les rayons de soleil percent au travers des nuages, affermissez votre foi dans la vie et en Dieu. Affermissez tout ce qu'il y a de beau, de bon et de bien dans votre vie et même s'il faut encore lutter, affermissez la réalité. « Le ciel et la terre passeront » mais la divinité qui vous habite s'affermira en vous pour l'éternité.

TABLE DES MATIÈRES

Achevé d'imprimer
en mai 1991 sur les presses
des Ateliers Graphiques Marc Veilleux Inc.
Cap-Saint-Ignace, Qué.